DISCARDED

50 COSAS QUE NO SOPORTO DE MIS HIJOS
ADOLESCENTES

D1041275

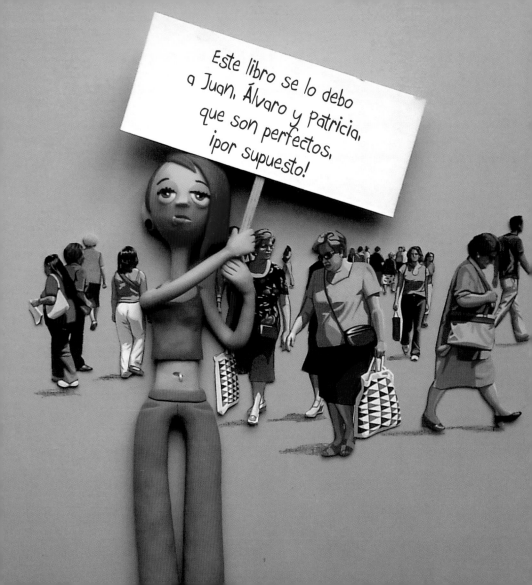

50 COSAS QUE NO SOPORTO DE MIS HIJOS

ADOLESCENTES

ANA GALÁN

ILUSTRACIONES DE JAVIER GRANADOS

everest

Conoce nuestros productos en esta página, danos tu opinión y
descárgate gratis nuestro catálogo.

www.everest.es

Título: 50 cosas que no soporto de mis hijos adolescentes
Autora: Ana Galán
Ilustraciones: Javier Granados Centeno

Dirección editorial: Raquel López Varela
Coordinación editorial: Ángeles Llamazares Álvarez
Diseño y maquetación: Maite Rabanal

Reservados todos los derechos de uso de este ejemplar. Su infracción puede ser
constitutiva de delito contra la propiedad intelectual. Prohibida su reproducción total o
parcial, distribución, comunicación pública, puesta a disposición, tratamiento informático,
transformación en sus más amplios términos o transmisión sin permiso previo y por escrito.
Para fotocopiar o escanear algún fragmento, debe solicitarse autorización a EVEREST (info@
everest.es) como titular de la obra, o a la entidad de gestión de derechos CEDRO (Centro Español de
Derechos Reprográficos, www.cedro.org).

Copyright © Ana Galán
y EDITORIAL EVEREST, S. A.
Carretera León - La Coruña, km 5 - LEÓN
ISBN: 978-84-441-2099-7
Depósito Legal: LE: 784-2012
Printed in Spain - Impreso en España

EDITORIAL EVERGRÁFICAS, S. L.
Carretera León - La Coruña, km 5
LEÓN (ESPAÑA)

Atención al cliente: 902 123 400

ATENCIÓN ADOLESCENTE:

SI ESTE LIBRO HA CAÍDO EN TUS MANOS, DEJA DE LEERLO YA MISMO. TE AVISO. NO TE VA A GUSTAR.

¡NO PASES LA PÁGINA!

COSAS QUE NO SOPORTO DE LOS ADOLESCENTES:

Nº 1:
QUE SIEMPRE HACEN LO CONTRARIO DE LO QUE SE LES PIDE.

CONTENIDO

INTRODUCCIÓN

Ay, los hijos, esas criaturitas que *eran* tan tiernas y dulces de bebés y hasta te daban ganas de comértelos. Qué tiempos aquellos cuando pensaban que eras maravilloso, te miraban con verdadera admiración y hasta te podían llegar a dar un beso o un abrazo de forma espontánea; qué maravilla cuando el problema más grave era que alguien les había quitado un juguete, o que no se querían comer las verduras o que su mejor amigo les había llamado «tontos». **¡Qué fácil era todo!** Pero de pronto, un día, de la noche a la mañana, les salen pelos, les empiezan a crecer los miembros de maneras desproporcionadas, tienen granos, se les pone voz de tirolés, huelen, te contestan mal y te miran como si fueras un monstruo torturador cuyo único objetivo es hacerles la vida imposible. Es en ese momento cuando te arrepientes de no habértelos comido.

Como casi todos los padres, pensamos que nuestros hijos adolescentes no tienen valores, que son unos vagos, que hablan mal y tienen gustos aberrantes por la música y la ropa. **¡Qué poco originales somos!** El mismo Sócrates, ya en épocas de antes de Cristo, decía «Los jóvenes hoy en día son unos tiranos. Contradicen a sus padres, devoran su comida, y les faltan al respeto a sus maestros».

Su contemporáneo, Hipócrates, también parecía estar de acuerdo: «Los jóvenes de hoy no parecen tener respeto alguno por el pasado ni esperanza alguna para el porvenir».

Y unos siglos más tarde, Marco Tulio Cicerón afirmaba «Estos son malos tiempos. Los hijos han dejado de obedecer a sus padres y todo el mundo escribe libros».

No. Los adolescentes de hoy no son peores que los de antes. Nuestra generación no era mejor que la de ellos. Nuestra música y nuestra moda no era superior (y si no me crees, mira tus fotos de cuando tenías diecisiete años y verás qué pintas tenías…). Aquí lo único que ha cambiado es que ahora estamos en el otro lado, que tenemos poca paciencia para la edad del pavo, y que bueno, francamente, ¡es que a veces no hay quien los aguante!

Si tienes hijos adolescentes, seguro que has vivido alguna de las situaciones que se describen en este libro y por lo menos te consolará saber que no eres el único al que ignoran, contestan, desprecian o engañan. Claro, que saber eso no te ayuda a mejorar la situación, pero sabemos que todos estos problemas se van a solucionar en algún momento. La solución se llama edad.

Al fin y al cabo, ¿no conseguiste tú sobrevivir a tu propia adolescencia?

"La adolescencia es un periodo de cambios muy rápidos. Entre los 12 y los 17 años de edad, por ejemplo, un padre envejece unos 20 años".

Anónimo

TIPOS DE HIJOS

Al igual que hay muchos tipos de padres, hay muchos tipos de hijos, pero para simplificar, los he clasificado según su actitud. Utilizaré la palabra «hijo» para no repetir el rollo ese de hijo o hija que está tan de moda, pero todas las categorías se pueden aplicar a ambos sexos.

El hijo acerico es ese que va lleno de pírsines y se viste de maneras poco convencionales.

De este hay varias modalidades:

el **ARCO IRIS**, que se tiñe el pelo de diversos colores, el **ULTRATUMBA**, que suele ir vestido y maquillado de negro y llevar accesorios con motivos religiosos y, si sus padres le dejan, es capaz de presentarse así a una cena de gala, el **LEOPARDO**, con pantalones ajustados con estampados de piel de animal, pañuelos que les cuelgan de diversos sitios y pelo con efecto invernadero en el que crían diversas especies de animales...

Su afición preferida es **provocar miradas e indignación**, pero no te puedes meter mucho con ellos porque **suelen ser inteligentes** y plantean sus argumentos con mucha sabiduría (aunque sea sabiduría propia).

y tengo más que no te enseño...

EL NINJA

WANTED

El ninja es ese hijo que sabes que tienes e intuyes que debes seguir teniendo porque de vez en cuando deja rastros por la casa, como ropa sucia y restos de comida, pero nunca le llegas a ver.

COMO NUNCA ESTÁ, CON ESTE APENAS TIENES DISCUSIONES.

EL SIMBIONTE

El simbionte es el hijo que tiene dificultad para socializar y tiene una relación simbiótica con el ordenador, la consola de videojuegos o los libros. Suele encerrarse en sus mundos imaginarios y ser poco comunicativo.

Responde con monosílabos tipo «uh», «eh» o «bah».

Este, por muy desesperante y aburrido que sea, lo debes cuidar porque nunca se sabe si llegará a ser el nuevo multimillonario del mundo de la informática o del Internet.

Su presencia y aspecto de oso perezoso podrían molestar, pero oye... si acabas en una mansión...

el supergén

Es el hijo con genes perfectos, el que toda madre quisiera tener: educado, guapo, listo, ordenado, saca buenas notas, divertido, tiene muchos amigos, trata bien a sus padres, es cariñoso con los abuelos, ayuda en casa sin que se lo pidan...

Es un ser extraordinario; sin embargo, según los últimos estudios, solo se han podido encontrar nueve en todo el mundo.

Como la probabilidad de que los padres de esos nueve especímenes compren este libro es muy baja,

HE DECIDIDO NO INCLUIRLOS EN LAS DESCRIPCIONES.

el enmascarado

A primera vista podrías confundirlo con un hijo supergén. Es simpático, educado, sociable y con frecuencia parece que escucha y te da la razón.

¡NO TE DEJES ENGAÑAR!

Al igual que todos los superhéroes enmascarados, este tipo de hijo sufre de doble personalidad. El «angelito de Dios», en cuanto se da media vuelta, va a hacer justo lo contrario que te ha dicho que haría:

Sí, mamá, voy a hacer los deberes
(eso quiere decir que se va a encerrar en su cuarto a chatear con sus amigos y surfear el internet).

Que no... que yo no bebo, que el alcohol no me gusta
(¿cuándo ha sido la última vez que hiciste un inventario de tus botellas de alcohol?).

Este fin de semana voy a casa de Luis a estudiar
(es decir, los padres de Luis no están y van a hacer una fiesta).

EL RESORTE

Este es el hijo que salta por cualquier cosa. Puede parecer que está muy tranquilo y de buen humor, pero de repente te pega una contestación que te deja sin habla, y eso que a lo mejor solo le preguntaste si hacía buen tiempo afuera...

¡ NO me agobies ! ¿vale...?

«¿Buen tiempo?
¿Qué pasa?
¿Es que ya me estás controlando?
¿Es que piensas que estaba
en otro sitio o qué? ¿Eh? ¿Eh?»

En realidad las reacciones del hijo resorte nunca deberían sorprenderte:

LE DIGAS LO QUE LE DIGAS, SIEMPRE LE VA A PARECER MAL.

El falSo HippiE

"ero estoy "superencontra" de la caza de ballenas

El hijo que suele tener tendencias vegetarianas
pero usa zapatos y cinturón de cuero;

que quema «hierbas»
pero no distingue una lechuga de un repollo;

que te da lecciones de ecología
**pero gasta un rollo de papel higiénico cada
vez que hace caca;**

que le preocupa el medio ambiente
pero no va en bicicleta porque es muy cansado

y habla de reciclar y de recursos naturales pero
**se deja las luces y la televisión encendidas
y no bebe agua del grifo...**

Vamos, un auténtico salva mundos.

EL SOBRAO

Es el que te mira por encima del hombro porque sabe mucho más que tú de todo, especialmente de leyes, de justicias sociales y de informática.

Pero Dios te libre de dejarle tu coche o tu ordenador porque nunca más volverá a funcionar...

SI ES QUE VUELVE A FUNCIONAR.

No tienes ni idea...

EL ROCKEFELLER

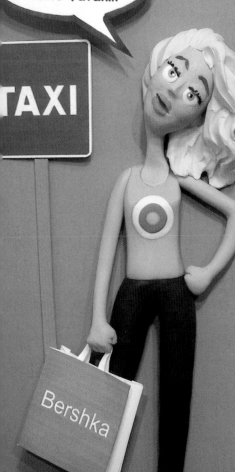

El que es más fino que nadie,

lleva un tren de vida
que no hay quien lo mantenga,

NO USA EL TRANSPORTE PÚBLICO,

tiene que tener un **buen coche,**
la **mejor ropa** y ser el que siempre
invita a sus amigos a cenar o lo que sea
porque él es **así de generoso,**

pero por supuesto,

NO TRABAJA.

EN CASA Y CON LA FAMILIA

LA VIDA DE HOTEL

El sueño de todo adolescente es vivir en un lugar donde no haya padres, donde todo esté pagado, no tengan que hacer nada y puedan entrar y salir a su antojo...

Oh... espera... ¿NO ES ASÍ COMO VIVEN?

"Las labores del hogar
no te matan, pero
¿para qué arriesgarse?"

PHYLLIS DILLER

LAS CARAS

Si las miradas mataran... todos los padres estaríamos ya muertos.
No hay nada como hablarle a tu hijo y que sin decirte ni una sola palabra te esté dando más de una contestación.

Estas son algunas de las expresiones más frecuentes:

ABURRIMIENTO: cuando le cuentas algo importante

ANGELICAL: cuando te pide dinero

ASCO: cuando haces planes familiares

BOCHORNO:
cuando hablas
con sus amigos

DESPRECIO:
cuando le importa
un comino
lo que digas

INDIFERENCIA:
cuando le hablas de tus problemas

PERPLEJIDAD:
cuando le dices que no

Qué fácil sería
responder así
a sus expresiones...

"LOS PADRES DEBERÍAN DARSE CUENTA DE CUÁNTO ABURREN A SUS HIJOS".
GEORGE BERNARD

La calvicie no es contagiosa.

QUE TÚ NO SEPAS NADA, PERO SUS AMIGOS, SÍ

Estudios, años de experiencia en el trabajo, vivencias, conocimientos, todos los lugares que has visitado y la gente que has conocido... nada de eso tiene ningún valor ante los ojos de tus hijos adolescentes, especialmente cuando tu opinión no coincide con la de sus amigos.

Por ejemplo, puede que seas dermatólogo y que lleves atendiendo pacientes más de veinte años, pero un día a tu hijo le dice su amigo que la calvicie es contagiosa y ya le puedes mostrar estudios clínicos, estadísticas, informes médicos y todo lo que quieras, que jamás le convencerás de lo contrario y además, se negará a usar tu peine.

Al fin y al cabo TÚ SOLO ERES UN PADRE y no tienes ni idea y su amigo lo leyó en Wikipedia o lo vio en alguna película...

¿Y tú qué sabes?

Otras cosas que te pueden jurar
que son verdad porque se lo ha
dicho un amigo:

Si naces en un avión vuelas gratis el resto de tu vida;

si tienes sexo en un jacuzzi
no te puedes quedar embarazada;

las vacas cuando están durmiendo de pie,
las puedes empujar y se caen.

LOS CHICOS QUE VAN EN BOLAS POR LA CASA

Cuando tu hijo entra en tu habitación (sin llamar, claro) y te sorprende en ropa interior, grita, se convulsiona, le entran náuseas, se tapa la cara y en sus ojos se refleja una expresión de terror espeluznante, lo que te hace sentir francamente bien.

Eso sí, él puede pasearse libremente en calzoncillos por toda la casa o no cerrar la puerta del baño cuando está haciendo pis y a ti te tiene que parecer muy normal.

"TODOS LOS CONSEJOS QUE LOS PADRES
DAN A LA JUVENTUD TIENEN POR FINALIDAD
IMPEDIR QUE SEAN JÓVENES".
FRANCIS DE CROISSET

"Sé que mis padres me odiaban. Mis juguetes para el baño eran un tostador y una radio".

RODNEY DANGERFIELD

¡¿Pero me has oído?!

EL "ya voy"... que nunca llega

Convivir con un adolescente es como practicar una religión: debes hablar con **ÉL** esperando que tus palabras le lleguen, debes tener fe ciega en que tus plegarias serán escuchadas, debes armarte de la paciencia de un santo y debes entender que si tú dices "levántate y anda" no va a tener absolutamente ningún efecto.

Creo que el problema es que **él práctica otra religión**, esa que dice "si la montaña no va a Mahoma, Mahoma va a la montaña",

pero lo que no te has dado cuenta es que en este caso, tanto la montaña como Mahoma eres tú...

"Haría cualquier cosa por recuperar la juventud... excepto hacer ejercicio, madrugar, o ser un miembro útil de la comunidad".

OSCAR WILDE

"LA JUVENTUD ES UN DEFECTO QUE SE CORRIGE CON EL TIEMPO".
ENRIQUE JARDIEL PONCELA

Pues yo soy incorregible

EL QUE DIGAN "ESO ERA EN TUS TIEMPOS"

Pongamos algunas cosas claras. Es cierto que en mis tiempos se hacían cosas que ya no se hacen: yo llegué a conocer a los serenos, que rondaban las calles por la noche y los tenías que llamar para que te abrieran la puerta de tu portal, la televisión en blanco y negro con solo dos canales, los teléfonos con operadora y la inexistencia de teléfonos móviles, "cortar" y "pegar" para hacer un trabajo quería decir usar tijeras y pegamento, los trabajos del colegio se escribían a mano y el que los pasaba a máquina era un portento...

Sí, los tiempos han cambiado...

Pero hay cosas que siguen siendo igual y por mucho que me digan, me niego a aceptar que las normas básicas de educación pertenecieron a otros tiempos. En el siglo XXI todavía hay que **llamar para dar las gracias**, hay que **contestar llamadas** y se debe **respetar a la gente mayor**,

y sí, SOLO PORQUE SON MAYORES.

LOS CAMBIOS DE HUMOR

Los adolescentes tienen momentos de debilidad y a veces se olvidan de su actitud altiva y vuelven a ser los hijos agradables y cariñosos que conocías.

Un día pueden ir contigo en el coche y empezar a hablarte de algo que les preocupa y ¡hasta te pueden llegar a pedir tu opinión! Tú, con la emoción, piensas que al fin y al cabo sigue necesitándote y le importa lo que piensas y, como él fue el que ha abierto la puerta a la conversación, te lanzas a hacerle preguntas o darle consejos.

Y de pronto, como si hubieras dicho alguna palabra mágica (o más bien algún maleficio), vuelve a salirle la mala leche, las miradas de "tú qué sabes" y el comentario cariñoso: "Mamá, eres una cotilla", o el "Déjame en paz".

Como dije antes, PARA ESTRANGULARLOS.

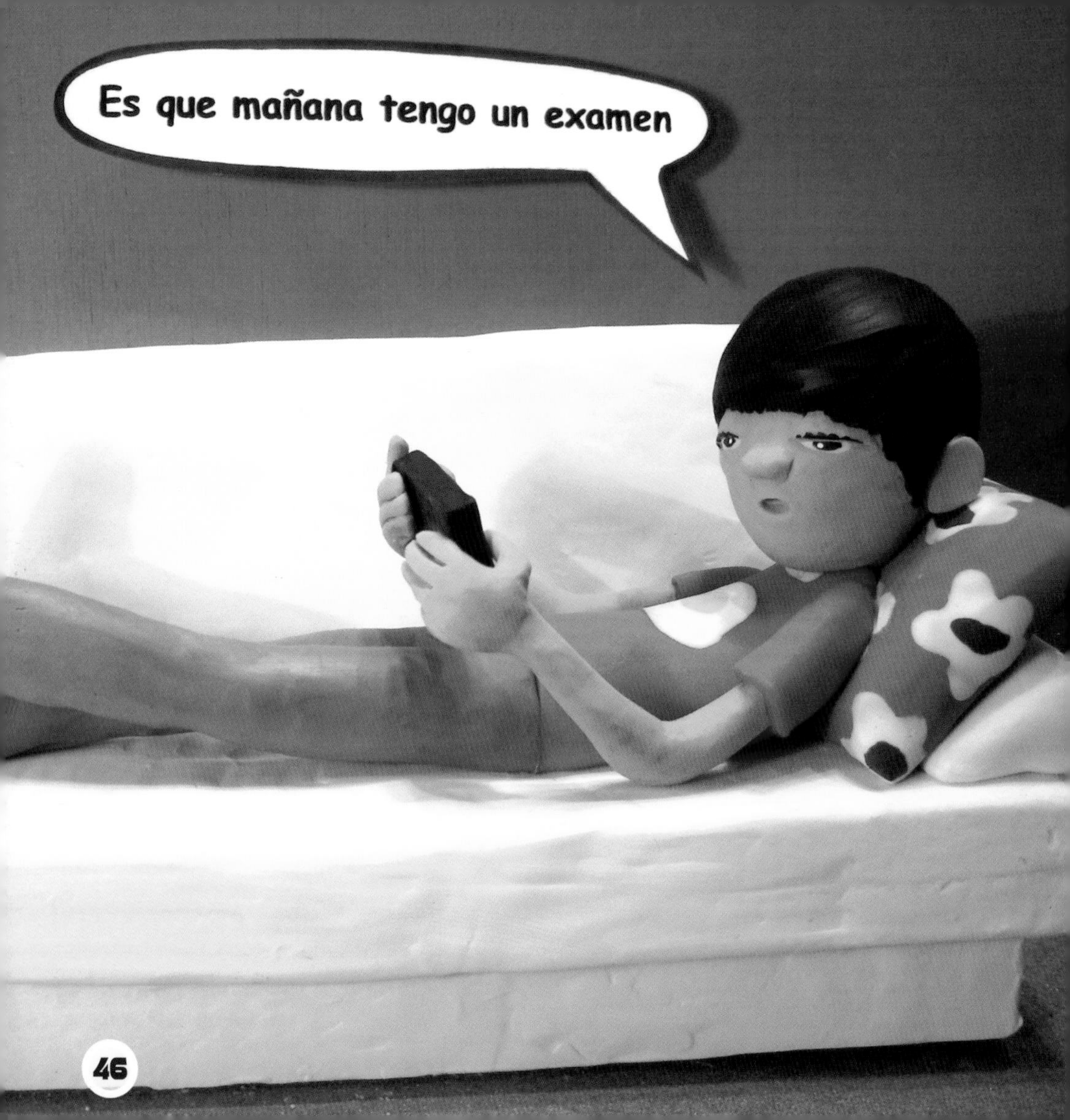
Es que mañana tengo un examen

EL QUE NO ESTÉ HACIENDO NADA, PERO CUANDO LE PIDES QUE HAGA ALGO, TIENE COSAS QUE HACER

Haz la prueba. Si ves a tu hijo tumbado en el sofá sin hacer nada, pídele que haga algo útil, como recoger la habitación, pasear al perro, lavar el coche, sacar la basura... Ya verás como de repente, por arte de magia, recuerda que tenía que hacer algo muy importante y no tiene tiempo.

Esto también funciona con la famosa frase **"no hay nada que hacer"**. Como se te ocurra darle alguna sugerencia como leer, dibujar, escribir, tocar la guitarra, jugar a las cartas, salir a correr o llamar a su abuela, te miran como si estuvieras mal de la cabeza.

Eso sí, cuando salen con sus amigos y tú les preguntas...

LA RESPUESTA INVARIABLEMENTE ES:
NADA

¿Nada? ¿Ha estado con sus amigos hasta las tantas de la mañana y no han hecho **NADA de NADA?**

¿DE VERDAD?

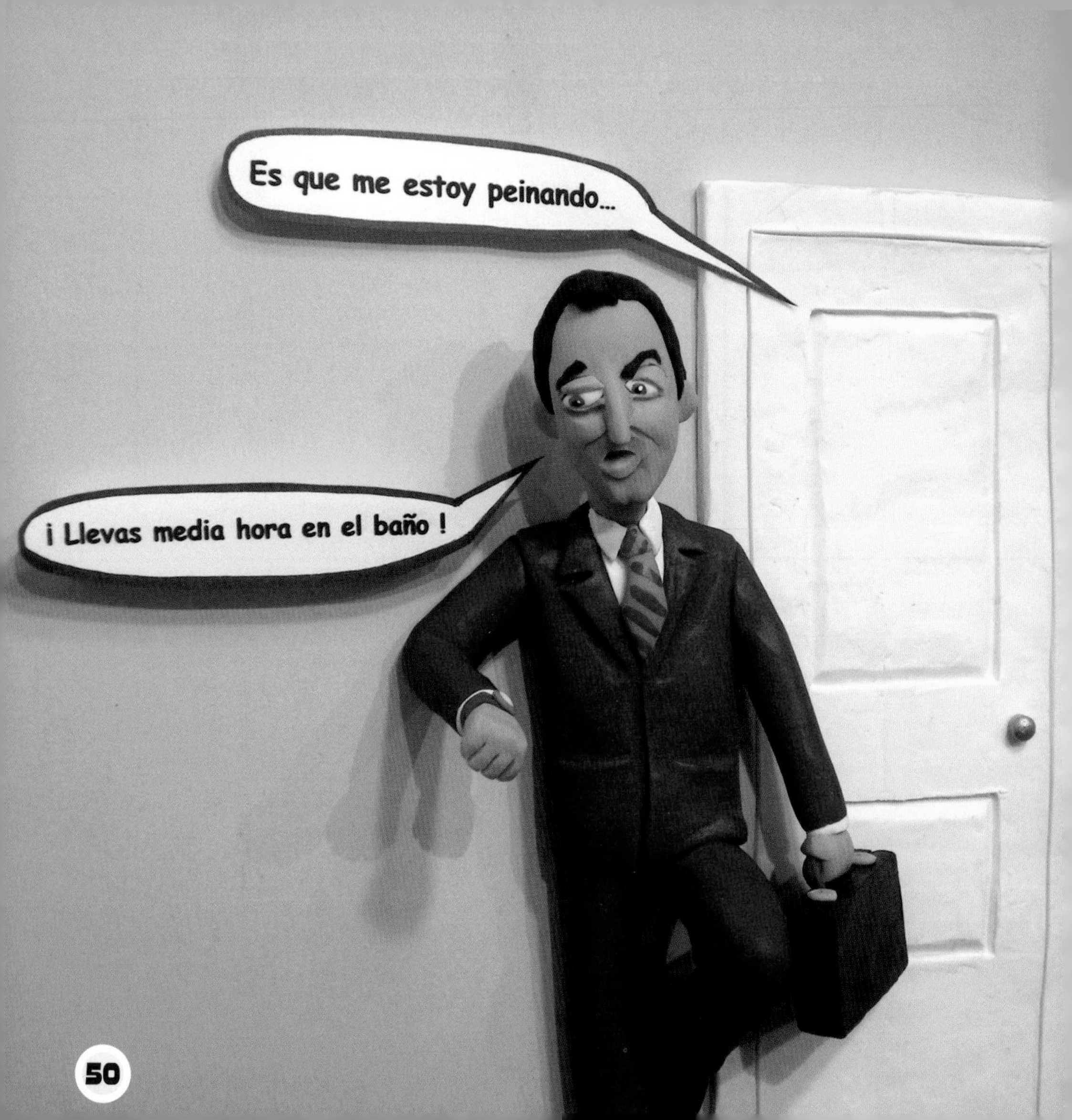
Es que me estoy peinando...
¡ Llevas media hora en el baño !

que se pasen HORAS en el baño

Es normal que los adolescentes se miren con frecuencia y curiosidad en el espejo ya que sus cuerpos cambian continuamente. Un día les crece la nariz, otro día les salen pelos en ciertos lugares y deben contarlos, otros días les aparece un grano en medio de la cara y tienen que buscar una solución o no van a poder salir con sus amigos... y otros días... sobre todo los chicos... aprenden a jugar y se dan cuenta de que cuanto más juegan, más se divierten...

Es una pena que si el cuarto de baño lo comparten con el resto de los miembros de la familia, los demás tengamos que llegar tarde al trabajo o nos estemos retorciendo de ganas de hacer pis mientras ellos... venga a jugar.

¿Se nota mucho el relleno?

"un niño se convierte en adulto tres años antes de lo que piensa su padre y unos dos años después de lo que él piensa".
Lewis B. Hershey

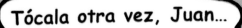

Tócala otra vez, Juan...

"TENER HIJOS NO TE CONVIERTE EN PADRE; AL IGUAL QUE TENER PIANO NO TE CONVIERTE EN PIANISTA".
MICHAEL LEVINE

QUE SE CREAN QUE ERES TONTA...
Y TE CUENTEN MILONGAS

Que levante la mano el que nunca les haya contado una mentira a sus padres. Ya me imaginaba yo que no era la única. Hay historias que son de libro y como ya nos las sabemos, no nos las tragamos. Eso sí, a veces decidimos aparentar que nos las hemos creído, pero ¿creérnoslas?

¡DE NINGUNA MANERA!

He aquí algunos casos típicos basados en historias reales.

Es **sábado,** a las **8:30** de la mañana. **Te has levantado y aprovechando la tranquilidad y el silencio matutinos, te sientas en la cocina a tomar un café mientras lees el periódico. De pronto, tu hijo aparece por la puerta. Tiene los ojos vidriosos, el pelo despeinado, se tambalea y apesta a alcohol. Emite ciertos sonidos que no consigues entender. Se acerca a la nevera muerto de sed y empieza a beber agua cual camello antes de cruzar el desierto. Le miras.**

—Qué madrugador —comentas—. ¿A dónde vas tan temprano?

(Sabes que no va a ningún sitio)

—Es que tengo sed.

—Ah, ya veo. ¿Anoche estuviste bebiendo?

—No, qué va, si llegué muy pronto.

SEGURO QUE NO ESTUVO BEBIENDO.

CASO NÚMERO 2:

Tu hija llega a casa y a su paso va dejando un horrible hedor a tabaco.

—¿Has estado fumando? —preguntas.

—No, yo no fumo, es que había gente fumando a mi lado y se me debió pegar el olor.

SEGURO QUE NO FUMA.

¿Es que no confías en mí, mamá?

Abres el congelador. Te das cuenta de que la botella de vodka que tenías puesta a enfriar ¡se ha congelado! ¿Cómo es posible? De pronto aparece tu hijo. Te ve con la botella en la mano y evita tu mirada a toda costa.

—¿Tú sabes cómo se ha podido **congelar** el vodka? —preguntas.

—Ni idea —contesta.

SEGURO QUE NO HA CAMBIADO SU CONTENIDO POR AGUA.

CASO NÚMERO 4:

Tu hija ha tenido un examen. Por lo que has podido apreciar en los últimos días, no te da la impresión de que haya estudiado demasiado. Llega a casa del colegio.

—¿Qué tal te ha salido el examen?

—Ha sido **dificilísimo** y a todo el mundo le ha salido mal.

SEGURO QUE TODOS SUSPENDEN.

Esa contestación la puede alternar con el "ES QUE EL PROFESOR ME TIENE MANÍA".

CASO NÚMERO 5:

Estás viendo la tele. Se acerca tu hija con cara de inocente.

—Mamá, mira, este fin de semana nos han invitado los padres de Marta a esquiar a su casa de la montaña. Vamos a ir Pilar, Lucía, Ana y Blanca. ¿Puedo ir?

—Sí, me parece muy bien. Qué amables los padres de Marta —contestas—. Oye, ¿por qué no me das su número de teléfono y les llamo para darles las gracias?

AL DÍA SIGUIENTE SE CANCELA EL PLAN PORQUE POR LO VISTO YA NO HAY NIEVE.

CASO NÚMERO 6:

Antes de salir de casa le recuerdas a tu hijo.

—Te quiero de vuelta antes de la 1:00 —dices sintiéndote generosa y teniendo en cuenta su edad.

—¡Pero mamá! ¡Si todos mis amigos vuelven a las 4:00!

—¿Todos? Pues ayer hablé con la madre de Luis y me dijo que su hora de vuelta eran las 12:30.

—Bueno, Luis, pero todos los demás vuelven a las 4:00.

—¿Y Carlos también? Porque su padre comentó el otro día que su hora era la 1:00.

—Carlos porque sus padres son unos raros.

—Ah, ya veo. A la 1:00 en casa.

"LA RAZÓN POR LA QUE LOS ABUELOS
Y LOS NIETOS SE LLEVAN TAN BIEN ES
PORQUE TIENEN UN ENEMIGO EN COMÚN".

ANÓNIMO

"CUANDO ERA MÁS JOVEN PODÍA RECORDAR TODO, HUBIERA SUCEDIDO O NO".
MARK TWAIN

69

La capacidad infinita de dormir los fines de semana

La guerra del dormir empieza en cuanto nacen tus hijos. Cuando son bebés, quieres que duerman, cuando son adolescentes, también... ¡pero no todo el maldito fin de semana! ¿Cuánto tiempo seguido puede dormir alguien?

¿Dos, tres, cuatro días?

Y si no los despertamos ¿qué pasaría?

Es cierto que los adolescentes necesitan diez horas de sueño diarias, pero **¿por qué no las reparten mejor y se acuestan antes entre semana** en lugar de quedarse hasta las tantas delante del ordenador justo cuando necesitan tener la mente más despejada para el colegio y sin embargo hibernan durante los fines de semana?

¿Y te has fijado cómo se mueven cuando están despiertos?

¡SI PARECE QUE SIGUEN DORMIDOS!

EL DEPORTE DE ABRIR Y CERRAR LA PUERTA DE LA NEVERA EN BUSCA DE TESOROS ESCONDIDOS

Abren la nevera, miran dentro, la cierran, protestan, se van a ver la tele... Vuelven a abrir la nevera, vuelven a mirar dentro, vuelven a protestar «No hay nada que comer», se vuelven a ver la tele...

Estos ejercicios aeróbicos son de las pocas actividades físicas que mantienen a los adolescentes en forma. A veces los practican en equipo, con la ayuda de sus amigos. En otras ocasiones en lugar de la puerta de la nevera, abren la de la despensa... **¡y la saquean!** Al igual que el dormir, la capacidad de ingerir de un adolescente es infinita. ¡Y además la mayoría no engorda! Paquetes de galletas, restos de espaguetis, bizcochos, patatas fritas, chocolate... como mucho, duran dos días.

Eso sí, los restos de lentejas nunca los ven. ¿Por qué será?

¡Con lo sanas que son y la cantidad de hierro que tienen!

La casa es un vertedero público

Al igual que muchos de nosotros sufrimos de vista cansada y necesitamos gafas para leer, los adolescentes sufren de vista selectiva que les impide apreciar ciertos detalles. Si no me crees, haz la prueba. Pídele a un adolescente que encuentre las diferencias entre estas dos imágenes. Es probable que no las vea.

Las buenas noticias es que en algunos (sobre todo algunas), esto se cura con la edad; pero en otros (sobre todo otros), el problema se acentúa.

"MI TEORÍA DE LA LIMPIEZA EN EL HOGAR ES QUE SI EL OBJETO NO SE MULTIPLICA, NO HUELE, NI ARDE NI BLOQUEA LA PUERTA DE LA NEVERA, NO HAY QUE TOCARLO. SI A NADIE LE IMPORTA, ¿POR QUÉ DEBE IMPORTARTE A TI?"

ERMA BOMBECK

QUE SE AVERGÜENCEN DE TI, DE TUS GUSTOS MUSICALES...

PERO ELLOS ESCUCHAN COSAS MUCHO MÁS MODERNAS: DYLAN, HENDRIX, DON MCLEAN, BOB MARLEY... HMMM

Veamos. He aquí algunos grupos o cantantes de nuestra época Police, Supertramp, Cat Stevens, The Who, The Beatles, Alan Parson's Project, R.E.M., Simon & Garfunkel, Rod Stewart, Pink Floyd, David Bowie, Prince, Freddie Mercury, Elton John, Madonna, Stevie Wonder, The Rolling Stones, U2, Michael Jackson, Tracy Chapman, Culture Club, AC/DC, Queen, Dire Straits, Spandau Ballet, Fleetwood Mac, Eric Clapton, Genesis...

He aquí algunos grupos o cantantes de hoy...

¿Justin Bieber?

¿Hace falta decir algo más?

¿Y alguien entiende por qué ahora dicen que van a un concierto cuando todo lo que ven es un tío mezclando música?

Necesito que me lo expliquen.

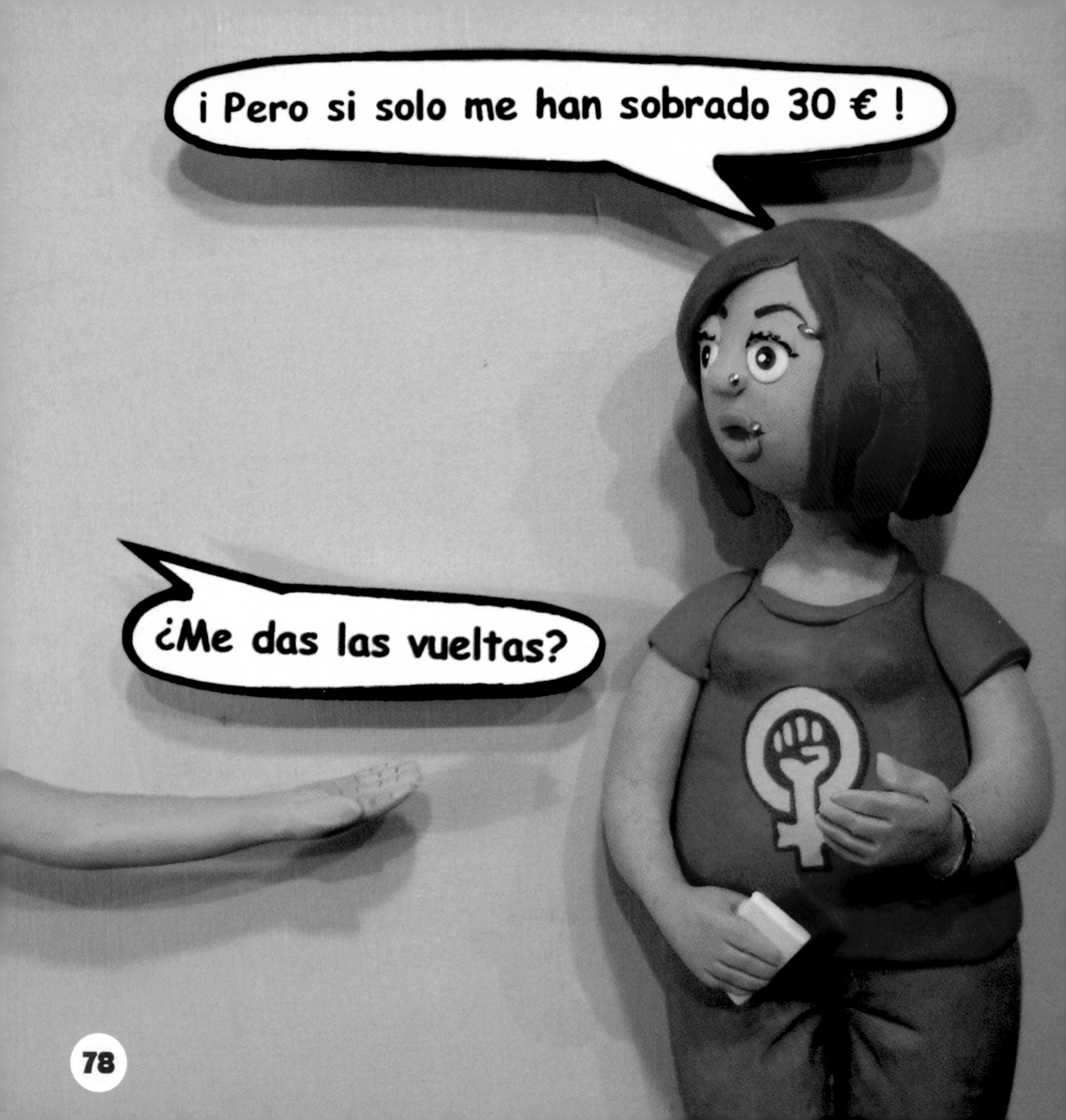
¡ Pero si solo me han sobrado 30 € !
¿Me das las vueltas?

¿ME DAS DINERO?

A medida que crecemos, descubrimos que muchas de las cosas que dábamos por ciertas en realidad eran mentira... el Ratoncito Pérez no existe (y por cierto, si alguien tiene alguna idea, yo todavía no sé qué hacer con esos dientes que tengo en el cajón de la mesita de noche), los Reyes Magos son los padres, los bebés no vienen de París ni los traen las cigüeñas... y el dinero no crece en los árboles.

Esto último tardamos unos veintiún años en aprenderlo y algunos, incluso más.

Con la edad vamos averiguando la respuesta a algunas de nuestras preguntas, pero otras se quedan sin contestar.

Por ejemplo, ¿por qué cuando a la media hora de hablar de la situación actual y de que hay que apretarse el cinturón, tus hijos te piden dinero para salir o comprarse algo absolutamente «**imprescindible**»?

¿Y por qué al dinero que les sobra cuando lo han comprado le llaman **vueltas** si nunca vuelve?

QUE PROTESTEN PORQUE LES REPITES LAS COSAS MIL VECES, PERO AUN ASÍ NO TE ESCUCHAN

10:00 am «Hoy es el cumpleaños de la abuela, deberías llamarla para felicitarla». «¡Ah, vale!».

12:00 pm «¿Has llamado a la abuela?» «No, todavía no».

14:00 pm «Que no se te olvide llamar a la abuela».
«Que no, mamá, qué pesada eres».

16:00 pm «¡Llama a la abuela ahora!» «Ahora no puedo, luego».

18:00 pm «Antes de salir, llama a la abuela». «Que síííííí».

20:00 pm «¿Vas a salir? ¡Que es el cumpleaños de tu abuela!».
«Que ya te he oído».

22:00 pm VÍA SMS: ¡LLAMA A LA ABUELA! SMS: Ya.

10:00 am del día siguiente: «La abuela me dijo que no la llamaste».
«Es que no tuve tiempo»...

"ALABA A TUS HIJOS EN PÚBLICO Y REPRÉNDELOS EN PRIVADO".

W. CECIL

"POR SEVERO QUE SEA UN PADRE JUZGANDO A SU HIJO, NUNCA ES TAN SEVERO COMO UN HIJO JUZGANDO A SU PADRE".

ENRIQUE JARDIEL PONCELA

CULPABLE HAGA LO QUE HAGA

QUE NO PUEDAS HACER COMENTARIOS SOBRE SUS AMIGOS PORQUE ESTARÍAN DISPUESTOS A MATAR(TE) POR ELLOS

Ver, oír y callar...
es lo mejor que puedes hacer
cuando vienen los amigos de tus
hijos a casa y no quieres que te
salten a la yugular.

**Eso e intentar siempre ver
el lado bueno de las cosas.**

¿Que esa chica va enseñando el culo?
Bueno, así está más fresquita.

¿Que al de la risa tonta, ese que nunca mira a los ojos, le han echado de tres colegios y no hace absolutamente nada? Será que es demasiado listo para nuestro sistema escolar.

¿Que uno ha pasado a tu lado y ni siquiera te ha saludado? Se le han debido olvidar las gafas...

¿Que el amigo que tú sabías que se la iba a jugar se la ha jugado? Shhhhh el "ya te lo dije" puede despertar al monstruo que lleva dentro.

"EL MEJOR MOMENTO PARA DARLES CONSEJOS A TUS HIJOS ES CUANDO TODAVÍA SON LO SUFICIENTEMENTE JÓVENES Y CREEN QUE SABES DE LO QUE ESTÁS HABLANDO".

"La gente joven está convencida de que posee la verdad. Desgraciadamente, cuando logran imponerla ya ni son jóvenes ni es verdad".

Jaume Perich

EL QUE INSISTAN EN TENER UN PERRO (TORTUGA, IGUANA, HURÓN, HÁMSTER) Y JUREN QUE LO VAN A PASEAR

AVISO: ¡ES TODO MENTIRA!

Si estás a punto de ceder a la presión de tus hijos para que les compres una mascota y te aseguren, incluso por escrito, que se van a encargar de cuidarla, **no te lo creas.** Por mucho que supliquen, lloren, insistan y prometan, en tan solo una semana te verás paseando al perro, limpiando la jaula del conejo o dando de comer ratoncitos vivos a la serpiente.

El concepto de tener perro ante los ojos de un adolescente se limita a un par de abrazos y achuchones cuando llega a casa del colegio, un paseo o dos al año si tienes suerte y alguna tortura espontánea. Ellos tienen muy claro que los animales se alimentan, se pasean, se bañan y se llevan al veterinario solos.

Eso sí, no te extrañe oír comentarios tipo "no sé por qué a ti el perro te quiere más…".

"SI QUIERES QUE TU HIJO TENGA LOS PIES SOBRE LA TIERRA, COLÓCALE ALGUNA RESPONSABILIDAD SOBRE LOS HOMBROS".
ABIGAIL VAN BUREN

EL EFECTO BULDÓCER

Nada escapa al efecto apisonadora, hormigonera o buldócer de los adolescentes. **Nada.** En especial los aparatos electrónicos. A veces es porque los vasos de leche tienen esa irritante tendencia de derramarse encima del ordenador, otras porque el teléfono móvil de alguna manera ha sentido una atracción electromagnética que le ha llevado a la piscina o incluso al inodoro, y es muy conocido el caso de los aparatos de música que siempre salen defectuosos y no están fabricados para un uso normal de setecientos mil megahercios de potencia. No podemos descontar esos virus que se meten solos en sus ordenadores, sin que nadie haga absolutamente nada, ni se bajen programas que por supuesto son legales, ni se visiten páginas web de lo más seguras.

Si es que las cosas ya no las hacen como antes...

De todos estos desperfectos te enteras al cabo de un tiempo cuando ves que en lugar de intentar repararlos, tus hijos deciden que es más fácil y más cómodo utilizar tus cosas. Al fin y al cabo, tu ordenador funciona perfectamente y eso que no tienes ni idea de informática.

"NUNCA LE DEJES EL COCHE A ALGUIEN A QUIEN HAYAS DADO A LUZ".

ERMA BOMBECK

CON LA TECNOLOGÍA

QUE CASUALMENTE SU TELÉFONO NO TENÍA COBERTURA O BATERÍA

PETICIÓN A LOS PROVEEDORES DE TELEFONÍA MÓVIL

Estimados señores: Puesto que es evidente que sus teléfonos siempre se quedan sin batería y cobertura justo cuando quiero localizar a mis hijos, ¿sería posible que en lugar de hacer llamadas pudiera lanzar a través del móvil algún tipo de corriente que los inmovilizara y no les permitiera moverse hasta que me informen de su paradero? Si esto les resultara demasiado complicado, ¿de alguna manera podrían hacer que cuando les llamo, de su móvil saliera una música irritante que no cesara hasta que contesten o mejor todavía, que si no contestan en un plazo de media hora, el móvil nos envíe (a los que pagamos la factura) fotografías de lo que está pasando? Es sobre todo por seguridad, ya saben. No vaya a ser que lo estén pasando mal y no puedan comunicarse con nosotros.

Muchas gracias por su atención.

No es nadie, es mi madre...

RING!
RING!!
RING!!!

"LOS CHICOS NO SON FELICES SI NO TIENEN ALGO QUE PODER IGNORAR Y PARA ESO SE CREARON LOS PADRES".
OGDEN NASH

"LOS HIJOS HAN CRECIDO CUANDO DEJAN DE PREGUNTAR DE DÓNDE VIENEN Y SE NIEGAN A DECIR A DÓNDE VAN".

CHANGING TIMES

La constante necesidad de enviar SMS con el móvil

Todos los hemos visto. Andan, comen, van al baño, están en clase, en el cine, en la sala de espera del médico o hablando contigo (sobre todo cuando hablan contigo)...

¡y no paran de enviar mensajitos por el móvil!

Si les pides que dejen el teléfono durante media hora, sufren del SSMS (Síndrome SMS) y se muestran inquietos, les falta algo en la mano, sienten ansiedad porque se pueden estar perdiendo algo realmente importante y deben contestar de inmediato (a pesar de que como hemos visto antes, cuando tú les envías un mensaje no pueden contestar por eso de la cobertura y la batería).

Como no hay parches ni chicles para contrarrestar los síntomas de abstinencia, una solución es **darles un teléfono de juguete para que lo sujeten en la mano** (otra sería darles una bofetada, pero eso no está bien).

101

ELLOS NO CONTESTAN EL MÓVIL PERO SI TE LLAMAN Y TÚ NO ESTÁS QUIEREN SABER DÓNDE ESTÁS

Las relaciones entre padres e hijos están llenas de contradicciones. Por ejemplo, ellos no quieren que les llames porque piensan que les estás controlando; sin embargo, tú tienes que estar disponible las veinticuatro horas al día por si necesitan ponerse en contacto contigo. Si se te ocurre no contestar el teléfono, se cabrean, te reprochan y preguntan

"¿dónde estabas? ¿por qué no contestas?".

Lo mismo sucede con otros aspectos de la vida, como las salidas nocturnas y la ropa. Como te dé por ponerte algo atrevido o salir de copas con tus amigas, tus hijos, esos que van enseñando los calzoncillos y llevan los pantalones colgando, se convierten en miembros numerarios de la inquisición…

Hagas lo que hagas, llames mucho o poco, salgas o te quedes en casa todo el día, trabajes o te encargues de tu hogar, da por hecho que haces justo lo contrario de lo que ellos quisieran.

LOS AURICULARES Y QUE NO TE OIGAN

Numerosos estudios médicos demuestran que:

- La exposición prolongada a sonidos de alta frecuencia produce una pérdida auditiva irreversible.

- Los efectos nocivos son acumulables. Es decir, que la exposición a sonidos altos durante mucho tiempo, aunque sean periodos cortos, puede producir pérdida auditiva en el futuro.

- Los auriculares causan más daño en la audición que oír música al mismo volumen en un aparato estéreo.

- A las personas que usan auriculares les resulta muy difícil distinguir entre 85 decibelios y 100; sin embargo, un volumen por encima de 80 decibelios se considera peligroso para la audición.

Como los efectos no son inmediatos, a los adolescentes les resulta muy difícil bajar el volumen para evitar su futura e inminente sordera. Sin embargo, con el tiempo, la pérdida de audición hará que no puedan disfrutar de la música ya que las células auditivas pierden la capacidad de oír sonidos de alta frecuencia, tengan problemas de comunicación y oigan pitidos constantes.

¿Qué puedes hacer si tu hijo se pasa el día con los auriculares en las orejas?

Es muy sencillo. Monta un negocio de audífonos. Te resultará mucho más rentable, nunca te faltarán clientes y te ahorrarás muchos sermones en casa.

EL ESTUDIAR CON EL MESSENGER, FACEBOOK, TUENTI, IPOD Y EL TELÉFONO

Es inútil luchar contra los razonamientos de los adolescentes. Tenemos que recordar que ellos **siempre tienen razón.** Si dicen que todas estas actividades les ayudan a hacer mejor los deberes, nuestra labor como padres es apoyarlos y sacar el máximo provecho de sus increíbles capacidades. Seguro que ellos agradecerán nuestra comprensión y que les pidamos que mientras hacen todo eso, ayuden a fregar los cacharros, recoger su habitación, pedir la compra por Internet y poner la mesa.

Todo sea por hacerles felices.

ESA MANERA INFERNAL DE ESCRIBIR

N 1 LGAR D LA MNCHA D QYO NMBRE N KIERO AKRDRM

Si Crvnts lvntr la cbza!

ls adlscnts no s k skrbn mal s k an kreao 1 lngua i x 1 prt

t bn pr NMJ! El prblma + imprtnt s k no spn azerlo bn cd

aze flta xq no tnn nidea

TRADUCCIÓN

En un lugar de la Mancha de cuyo nombre no quiero acordarme...

¡Si Cervantes levantara la cabeza!

Los adolescentes no es que escriban mal, es que han creado una lengua y por una parte está bien, ¡pero no me jodas! El problema más importante es que no saben hacerlo bien cuando hace falta porque no tienen ni idea.

EL CONSTANTE ZAPPING, PARA CAMBIAR DE CANCIÓN EN LA RADIO O DE CANAL EN LA TELE

Hay tres motivos por los que mis hijos cambian la emisora de radio cuando vamos en coche:

Que me guste la canción.

Que empiece a tatarear.

Que ya lleven escuchándola veinte segundos y se aburran.

Hay dos motivos por el que suben el volumen de la radio:

Que me duela la cabeza.

Que esté intentando tener una conversación normal.

Algo parecido pasa con la televisión. ¿Por qué? ¿Por qué tenemos que ver dos películas a la vez? ¿Qué tiene de malo ver los anuncios? Al final alguien los tiene que ver, ¿no? Ese constante vaivén entre canales y emisoras puede que esté bien para la atención limitada de los adolescentes, ¡pero yo me mareo!

Cuando sea mayor, me pienso comprar una tele para mí sola y un mando con solo tres botones: una para encenderla, otra para apagarla y otro que me cierre la puerta con pestillo.

Que no lean las instrucciones

No hay nada como comprarte un teléfono móvil nuevo y que vengan tus hijos, te lo quiten y empiecen a trajinar con él y a encontrar aplicaciones que seguramente no hubieras descubierto en toda tu vida. De pronto resulta que tu aparatito puede hacer fotos y vídeos, tiene GPS, puede cambiar de tono según quien te llama, se conecta a Internet y después de ciertas manipulaciones por parte de tus hijos, tiene no sé qué programas para mandar mensajes gratis... Y todo esto lo descubren por instinto y sin mirar ningún tipo de instrucciones.

En este caso, no es que me moleste que sean tan listillos, lo que no soporto es que me hagan quedar a mí de **tonta**.

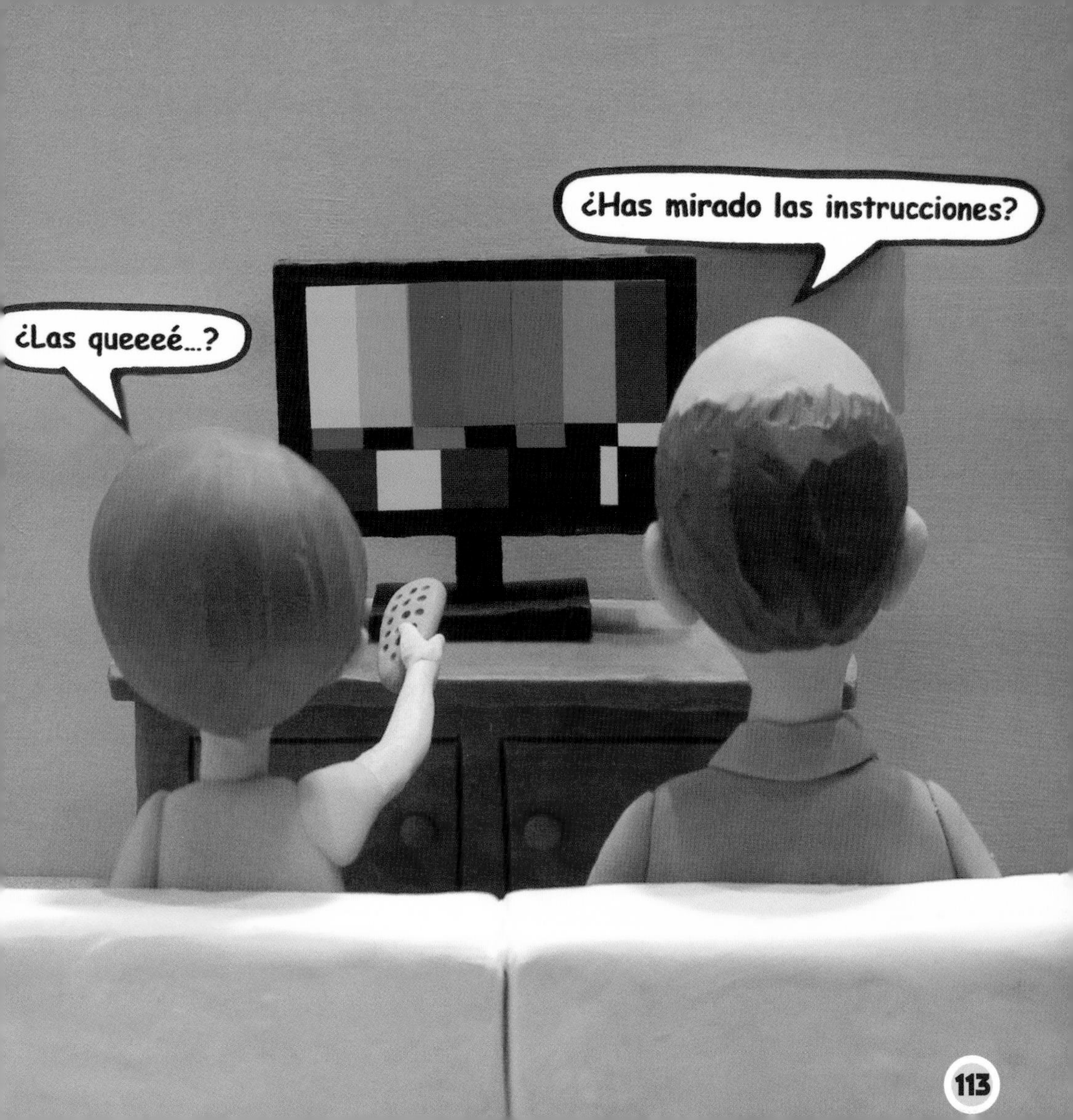
¿Las queeeé...?
¿Has mirado las instrucciones?

"ES INCREÍBLE QUE LOS CHICOS APRENDAN TAN RÁPIDO A CONDUCIR UN COCHE, PERO SEAN INCAPACES DE APRENDER A USAR UNA MÁQUINA CORTACÉSPED O UN ASPIRADOR".
BEN BERGOR

QUE CUELGUEN SUS FOTOS Y CUENTEN SU VIDA EN LAS REDES SOCIALES PORQUE PIENSAN QUE SOLO LAS VEN SUS AMIGOS

Como todo el mundo sabe, las cuentas en Facebook y Tuenti, esas en las que tienes más de mil amigos, son privadas y solo las pueden ver tus amigos más íntimos. Todo lo que pongas ahí, los comentarios hirientes sobre otras personas, las fotos comprometedoras en paños menores o consumiendo sustancias ilegales, las opiniones y los cotilleos, no son del dominio público y nadie se va a enterar de lo que has dicho o hecho, en especial tus padres, profesores o futuros jefes (que de verdad, que es una tontería, que esas estadísticas de que el 45% de las empresas de EE UU miran el Facebook antes de contratar a alguien y al 35% no les ofrecen el empleo por lo que han visto son cifras que se dan así, por molestar).

No.
Absolutamente nadie lo ve. Esa información es totalmente confidencial. Son secretos Reales.

Buscar

Ariadna

Buscar por nombre ▼ | Escribe el nombre de un amigo(a) | × | ⚏ | ☰

Ruth | Sonia | Diego | Sandra | Silvia | Sandra

Cristina | Van Rous | Dido | Virginia | Albert | Luis Rosal

Ignacio | Murman | Maria | Luis | Betty | Chabela

Athenea | Josep | Montse | Laura | Marti | Paola

María | Montse | Patricia | Pica | ...

🖥 Muro

📷 Información

🖼 Fotos (5)

👥 **Amigos**

Familia

 Hermana

Amigos (3200)

 Sandra

 Chabela

 Dido

 Jon

"Cuando yo tenía catorce años,
mi padre era tan ignorante
que no podía soportarle.
Pero cuando cumplí los veintiuno,
me parecía increíble lo mucho
que mi padre había aprendido
en siete años".

MARK TWAIN

AMIGOS Y VIDA SOCIAL

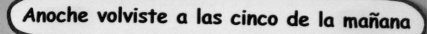

HOY NO SALGO Y VUELVEN A LAS 3 DE LA MAÑANA

¿Es normal, sobre todo en vacaciones de verano, que los adolescentes vuelvan **TODAS** las dichosas noches a las seis de la mañana? ¿Por qué eres un ogro cuando a tu hijo de catorce años le dices que tiene que volver a las dos y no a las cinco?

¡Si ni siquiera puede entrar legalmente en una discoteca!

Como padres responsables sugiero que les acompañemos, no vaya a ser que necesiten algo.

"LA MEJOR MANERA
DE QUE TUS HIJOS
SE QUEDEN EN CASA
ES CREANDO UN
AMBIENTE AGRADABLE
Y DESHINCHANDO LAS
RUEDAS DEL COCHE".
DOROTHY PARKER

"LA VERDAD ES QUE LOS PADRES NO ESTÁN INTERESADOS EN LA JUSTICIA. LO ÚNICO QUE QUIEREN ES SILENCIO".
BILL COSBY

LAS RISITAS TONTAS ENTRE AMIGOS

Hay tres ruidos que pueden resultar irritantes: el despertador, el ruido que hace la gente al masticar cosas crujientes y los ataques de risa incontrolados y absurdos de los adolescentes, sobre todo cuando te da la horrible sensación de que se están riendo de ti.

La más mínima tontería puede provocarles carcajadas imparables: una mirada, un chiste malo y en especial, que alguien se tropiece, se caiga y se haga daño. Y cuanto más daño se haga, más risa le entra.

Tan simpáticos y alegres ellos...

¡Un momento! Ya basta de tirarse el rollo e ir de santa por la vida. Alguna vez a mi edad...

... ¿te emborrachaste?

... ¿probaste alguna droga?

... ¿tuviste relaciones sexuales?

¿Eh? ¿Eh?

SEXO, DROGAS Y ROCK'N'ROLL

Ya, pero no es lo mismo... Además yo quiero nietos y la marihuana produce problemas de fertilidad...

"SI ERES JOVEN Y BEBES MUCHO,
TE AFECTARÁ A LA SALUD,
TE ADORMECERÁ LA MENTE
Y TE PONDRÁS GORDO.
EN OTRAS PALABRAS,
TE CONVERTIRÁS EN UN ADULTO".
P. J. O'ROURKE

No me voy a suicidar...mejor me meto a monja

LOS GRANDES DRAMAS

No es de extrañar que los adolescentes no lean libros. Tienen suficiente con las grandes tragedias que les suceden tanto en la vida real como en los círculos sociales de Internet.

Quién no hay oído hablar de la amiga que está hecha polvo y se va a suicidar porque la ha dejado Carlos con el que llevaba, por lo menos, dos semanas saliendo... O el chico que se va a ir de su casa porque sus padres no le entienden y le agobian porque esperan que apruebe todas y no puede estudiar porque está demasiado ocupado analizando diversas sustancias estupefacientes... O la chica que está deprimida porque la vida no es justa y tiene una Blackberry cuando todos sus amigos tienen un iPhone.

Si es que Dostoievski a su lado era un aficionado.

"A LOS CATORCE AÑOS NO NECESITAS UNA ENFERMEDAD O UNA MUERTE PARA MONTAR UNA TRAGEDIA".
JESSAMYN WEST

QUE SUS ÍDOLOS SEAN VERDADEROS IDIOTAS

Estas son algunas de las actividades que a nuestros hijos les entretiene ver: unos tíos que para pescar se atan la seda a los testículos... Dos que se disfrazan de cebra y se meten en medio de una manada de leones... Un chico muy conocido en Internet que se dedica a dar collejas a la gente y huir dando saltitos... Dos chicas y una taza que... lo siento, no lo puedo describir aquí, pero si tienes curiosidad, pregúntales a tus hijos... Unos rusos que se suben, sin ninguna protección, al saliente de un tejado a treinta pisos de altura... Otro que decide hacerse un tatuaje en un *jeep* en marcha por un camino lleno de baches... Uno que se da cabezazos con una cabra montesa...

Cuanto más aberrante y peligrosa sea la situación, más les gusta y en cuestión de minutos, los vídeos de estos enajenados mentales se hacen virales y famosos mundialmente.

¡Y algunos hasta se hacen millonarios!

Ahora ve y cuéntales a tus hijos lo importante que es estudiar para conseguir un buen trabajo. Anda, venga, díselo.

QUE SE HaGan LOS MACHITOS DeLANTE De SUS AMIGOS Y Te TRaTen MaL

A la mayoría de los adolescentes les gustaría que sus padres fueran diferentes y con frecuencia, se avergüenzan de ellos, especialmente cuando van sus amigos a sus casas y tienen la osadía y desfachatez de mirarles o hablar con ellos.

Vale, eso lo entiendo. A todos nos pasa.

De hecho, a mí a veces me gustaría que mis hijos fueran diferentes, que fueran toreros, por ejemplo. No por la montera y el traje de luces, ni porque corten rabos y orejas, qué va. Porque los toreros quieren mucho a sus madres, las respetan y las tratan bien delante de la gente.

Sobre todo delante de la gente.
¿Ole?

"Deja de intentar que tu hijo sea perfecto e intenta perfeccionar tu relación con él".
DR. Henker

Era tan mona...

"LA MADRE NATURALEZA ES MUY SABIA. TE DA DOCE AÑOS PARA QUE LE COJAS CARIÑO A TUS HIJOS ANTES DE CONVERTIRLOS EN ADOLESCENTES".
WILLIAM GALVIN

ACTITUD ANTE LA VIDA

EL SIGNIFICADO DE LA PALABRA "ESFUERZO"

esfuerzo m. Empleo enérgico de la fuerza física contra algún impulso o resistencia.

maduro, ra f. adj. Prudente, juicioso, sesudo.

oxímoron m. Combinación en una misma estructura sintáctica de dos palabras o expresiones de significado opuesto, que originan un nuevo sentido: p. ej. Un adolescente maduro que se esfuerza.

"CUANDO LOS PADRES HAN CONSTRUIDO TODO, A LOS HIJOS SÓLO LES QUEDA EL DERRUMBARLO".
KARL KRAUS

"PARA CUANDO UN HOMBRE SE DA CUENTA
DE QUE TAL VEZ SU PADRE TENÍA RAZÓN,
YA TIENE UN HIJO PROPIO QUE PIENSA
QUE SU PADRE ESTÁ EQUIVOCADO".
CHARLES WADSWORTH

QUE SE TOQUEN LOS HUEVOS... LITERALMENTE

No, no es una alegoría literaria. **¿No los has visto?**

¡Es que se los tocan sin parar!

¿Será que quieren asegurarse de que siguen ahí?

¿Estarán protegiendo las joyas de la corona?

(eso sí es una alegoría por si no lo habías notado...).

¿Los estarán contando?

Francamente es todo un misterio.

EL QUE SE CREAN TAN MAYORES PERO NO SEAN CAPACES DE HACER CIERTAS COSAS

Los adolescentes tienen grandes conocimientos de muchas materias, quieren tomar sus propias decisiones, tener independencia, que se les trate como adultos. Eso está muy bien.

Sin embargo, a pesar de su inmensa sabiduría es curioso que haya ciertas cosas, aparentemente sencillas, que todavía no dominan, como por ejemplo:

- Apagar la luz.
- Pedir sus propias citas con el médico o el *ortodontista*.
- Poner un rollo nuevo de papel higiénico cuando se acaba.
- Recoger las cosas que se caen o tiran al suelo.
- Echar gasolina, a pesar de tener carnet de conducir y llevar el coche o la moto.
- Recordar fechas importantes que no sean sus propios cumpleaños.

CONTRATA A UN ADOLESCENTE AHORA QUE LO SABE TODO.

YO, MÍ, ME, CONMIGO Y A LOS DEMÁS QUE LES ZURZAN

Los adolescentes son por naturaleza defensores de causas nobles, como ayudar a la iguana irisada del altiplano puneño que está al borde de la extinción o defender el hábitat del mosquito bicéfalo de Mongolia que es tan importante para el ciclo de la naturaleza. Cuando se meten de lleno en una misión, son capaces de cualquier cosa: donar tiempo y dinero, promoverlo en los círculos sociales, planear viajes, mostrar compasión...

Sin embargo, las causas familiares nunca parecen estar en su lista de prioridades. Te puedes estar muriendo, con un trancazo de narices y fiebre alta, que ellos llegan a casa y lo primero que preguntan es **"¿qué hay de cena?"**.

Cómo me gustaría a veces ser una especie en extinción...

151

"PÓRTATE BIEN
CON TUS HIJOS PORQUE
ELLOS ELEGIRÁN
TU ASILO".
PHYLLIS DILLER

RESIDENCIA DE ANCIANOS

Hija, deberías hacer más deporte

"LOS NIÑOS SON
IMPREDECIBLES.
NUNCA SABES EN
QUÉ INCONGRUENCIA
TE VAN A PILLAR".
FRANKLIN P. JONES

153

EL USO ABSOLUTAMENTE NECESARIO DE ROPA DE MARCA

Muchos adolescentes quieren tener un estilo **único**, único como el de todos los demás. Con el **mismo corte de pelo**,

los **mismos pantalones**,

las **mismas botas**,

las **mismas camisas**,

las **mismas cazadoras**...

y todo eso resulta que tiene que ser de la misma marca que usan todos, que por supuesto, es la más cara.

No solo eso, sino que ahora, como van enseñando los calzoncillos, las bragas y los sujetadores

¡esos también tienen que ser de marca!

"HE DESCUBIERTO QUE LA MEJOR MANERA DE DARLES CONSEJO A TUS HIJOS ES DESCUBRIR LO QUE QUIEREN Y ACONSEJARLES QUE LO HAGAN".
HARRY S. TRUMAN

ATENCIÓN: "NO" es una frase completa

Cuando tus hijos te piden permiso para algo y les dices que no, se quedan desconcertados, como si la negativa nunca hubiera sido una posibilidad en su mente: **"¡¿NO?!"**

"No, no puedes ir a pasar el fin de semana con 'tus amigas' y sin ningún adulto a la playa".

Te preguntan por qué, **"Pero ¿por qué?"**, y les das explicaciones: "Porque tienes catorce años".

Pero no lo entienden: **"Pero esa no es una buena razón. No entiendo porqué"**.

Te armas de paciencia y se lo vuelves a explicar: "Porque tienes catorce años".

Y te vuelven a responder: **"Si no vamos a hacer nada malo"**.

Y entonces recuerdas tus años en los que tampoco hacías nada malo y las cosas que pasaron y las que podían haber pasado.

La miras una vez más y respondes: "Me da igual. La respuesta sigue siendo que no".

Así te puedes tirar horas, incluso días, consciente de que no vas a llegar a ningún lado y de que la única manera de zanjarlo es decir:

"Porque lo digo yo".

¿Y sabes qué? Que hay veces que el "No porque lo digo yo" es una respuesta perfectamente válida, por mucho que digan los psicólogos.

"SI TU HIJO NO TE HA ODIADO EN ALGÚN MOMENTO, NUNCA HAS SIDO PADRE".
BETTE DAVIS

LAS CONTESTACIONES

¿Qué es peor, un chico que contesta, grita e incluso insulta a su padre o el padre que se lo consiente?

Los padres no son los colegas de sus hijos. **No deben serlo.** Cada uno tiene que estar en su sitio. Es una pena que con tanto esfuerzo que ha hecho nuestra generación en ser "mejores padres" y acercarse más a los hijos, se hayan quedado en el olvido algunas técnicas de enseñanza que resultaban de lo más efectivas. Como por ejemplo, lavarles la boca con jabón Lagarto.

¡Con lo económico y ecológico que era!

Estaba hecho con productos naturales y si me apuras, debía hasta blanquear los dientes y prevenir caries.

Me pregunto si será siendo legal emplear este método...

Por eso de cubrirme la espalda: La autora no sugiere que se empleen métodos de violencia ni "lavados de boca" con los hijos y no se hace responsable de que alguien, después de leer estas páginas, le haga comer una pastilla de jabón a su hijo.

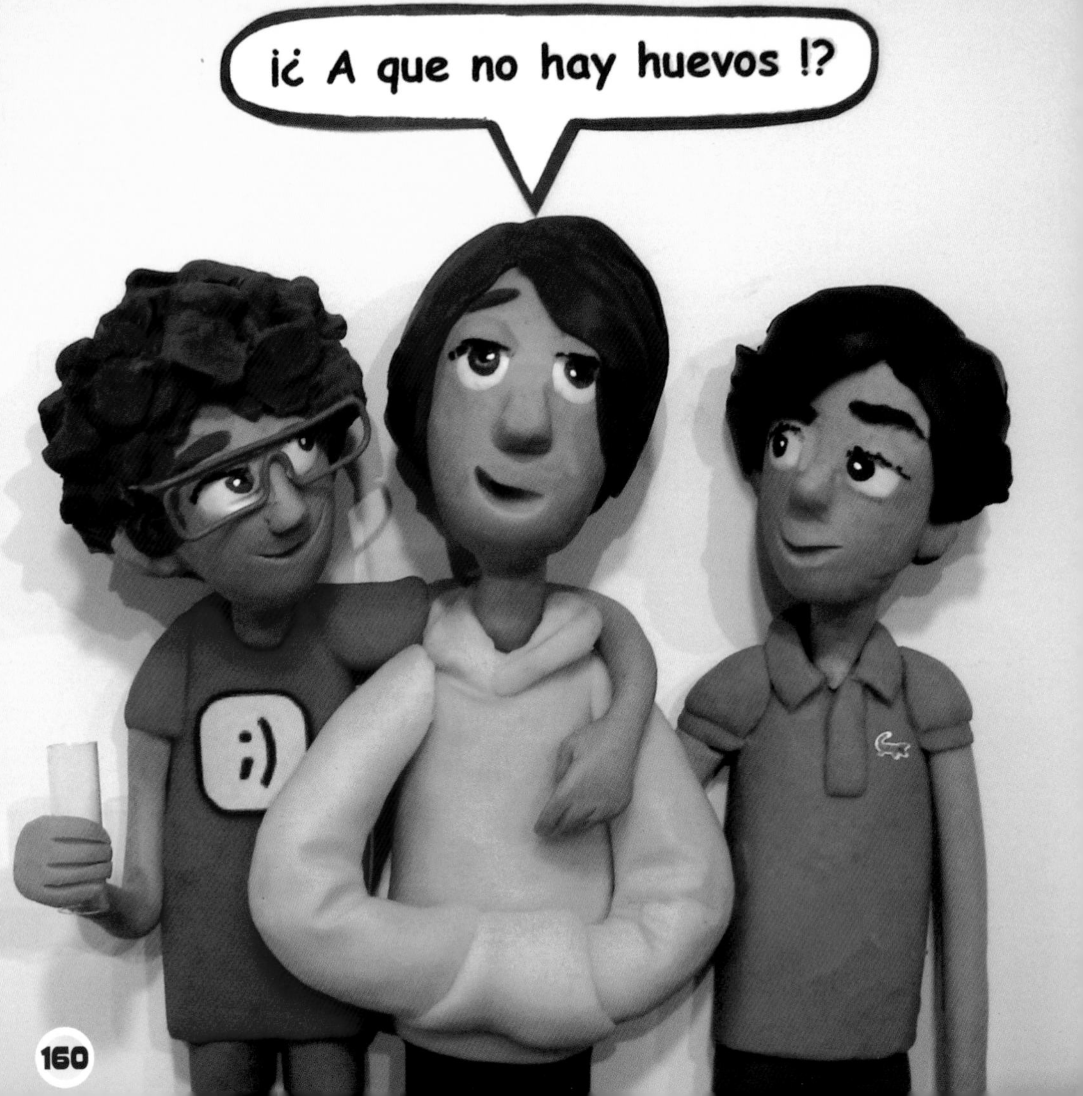
¡¿ A que no hay huevos !?

EL SENTIRSE INVENCIBLES

En todos los grupos de chicos jóvenes nunca falta el **BALA** o **AQUENÓ**. Es ese chico indeseable de las grandes ideas:

"¿**A que no** hay huevos para lanzarse por esa cuesta dentro del carro del supermercado?".

"¿**A que no** te bebes una botella de vodka y un litro de tónica a la vez?".

"Oye, tengo las llaves de la casa de la sierra y del coche de mis padres... ¿**a que no**...?".

¿A que no tiene gracia?

QUE LO PIERDAN TODO Y NO LES IMPORTE

Detrás de un objeto perdido siempre hay una madre cabreada.

Respira hondo... Cierra los ojos... Antes de poner el grito en el cielo, piensa que hasta a la persona más responsable se le puede perder algo. Respira... Respira... No pasa nada...

¡PERO ES QUE LA MALDITA CHAQUETA DE ESQUIAR ERA NUEVA! ¡NUEVA! ¡Y ME COSTÓ UNA PASTA! ¡Y NO HA HECHO NADA POR RECUPERARLA!

Respira... Respira... Que tú no eres la que va a pasar frío este invierno...

El único consuelo que me queda es que en mi casa aparecen de vez en cuando cosas que nadie sabe de quién son (cosas usadas, no pienses mal), desde teléfonos, llaves, bicicletas, sudaderas, carteras, cámaras de fotos y hasta zapatos. ¡Zapatos!

¿Quién se va sin darse cuenta de que no lleva los zapatos puestos?

EL DERECHO ADQUIRIDO A TRES MESES DE VACACIONES EN VERANO

El mundo está al revés. Somos nosotros, padres de vista cansada que nos pasamos todo el año trabajando sin parar para intentar sacar la familia adelante los que deberíamos tener tres meses de vacaciones y no los adolescentes que tienen tanta energía y están en la edad de absorber nuevos conocimientos y realizar nuevas actividades.

¿Quién tuvo la feliz idea de que el curso escolar solo durara nueve meses? ¿Un profesor sin hijos?

Señores del gobierno. Por favor, **¡pónganse las pilas!** Necesitamos cultivar a nuestra juventud, darles más horas lectivas, exigirles un mínimo de horas de servicios comunitarios al año, crear puestos de trabajo para adolescentes con los que puedan tener experiencias valiosas para su futuro, establecer un sistema de cursos subvencionados para aprender idiomas y otros conocimientos imprescindibles. Y si no son capaces de crear todo eso, por favor, quédense con mis hijos y manténgalos entretenidos durante los tres meses de verano porque yo tengo que trabajar.

"La mayor desgracia de la juventud actual es ya no pertenecer a ella".
Salvador Dalí

WI JUN 28 2013

NOTA DE LA AUTORA

Querida lectora o lector:

Espero que este libro te haya entretenido y te haya hecho sonreír por lo menos una vez **¡porque esa era mi intención!** Yo, desde luego, me lo he pasado muy bien analizando a los adolescentes de hoy en día y recordando cómo era yo en mis buenos tiempos. A pesar de que el objetivo del libro era que nos riéramos un poco y compartiéramos esas frustraciones que nos dan cuando tratamos con la gente joven, tengo que reconocer que después de convivir muchos años con adolescentes e ir con ellos en viajes de servicios comunitarios, tendrán sus cosas, pero estoy convencida de que vamos a estar en buenas manos.

¡Me encantaría oír tu opinión! Si quieres enviarme cualquier comentario, idea, anécdota o simplemente mandarme un mensaje para decir "hola", me puedes enviar un correo electrónico a ana@anagalan.com. No hay nada mejor para una autora que poder estar en contacto directo con sus lectores y saber lo que opinan de sus libros (si es bueno, claro).

Nos vemos en el siguiente libro.

Atentamente,

Ana